雪婆んごは、遠くへ出かけて居りました。

猫のような耳をもち、ぼやぼやした灰いろの髪をした雪婆んごは、西の山脈の、ちぢれたぎらぎらの雲を越えて、遠くへでかけていたのです。

水仙月の四日
宮沢賢治・作＊黒井健・絵

　ひとりの子供が、赤い毛布にくるまって、しきりにカリメラのことを考えながら、大きな象の頭のかたちをした、雪丘の裾を、せかせかうちの方へ急いで居りました。
　（そら、新聞紙を尖ったかたちに巻いて、ふうふうと吹くと、炭からまるで青火が燃える。ぼくはカリメラ鍋に赤砂糖を一つまみ入れて、それからザラメを一つまみ入れる。水をたして、あとはくつくつくつと煮るんだ。）
　ほんとうにもう一生けん命　こどもはカリメラのことを考えながらうちの方へ急いでいました。
　お日さまは、空のずうっと遠くのすきとおったつめたいとこで、まばゆい白い火を、どしどしお焚きなさいます。
　その光はまっすぐに四方に発射し、下の方に落ちて来ては、ひっそりした台地の雪を、いちめんまばゆい雪花石膏の板にしました。

　二疋の雪狼が、べろべろまっ赤な舌を吐きながら、象の頭のかたちをした、雪丘の上の方をあるいていました。こいつらは人の眼には見えないのですが、一ぺん風に狂い出すと、台地のはずれの雪の上から、すぐぼやぼやの雪雲をふんで、空をかけまわりもするのです。

「しゅ、あんまり行っていけないったら。」雪狼のうしろから白熊の毛皮の三角帽子をあみだにかぶり、顔を苹果のようにかがやかしながら、雪童子がゆっくり歩いて来ました。

　雪狼どもは頭をふってくるりとまわり、またまっ赤な舌を吐いて走りました。

「カシオピイア、
　　もう水仙が咲き出すぞ
　　おまえのガラスの水車
　　きっきとまわせ。」
　雪童子はまっ青なそらを見あげて見えない星に叫びました。その空からは青びかりが波になってわくわくと降り、雪狼どもは、ずうっと遠くで焰のように赤い舌をべろべろ吐いています。
「しゅ、戻れったら、しゅ、」雪童子がはねあがるようにして叱りましたら、いままで雪にくっきり落ちていた雪童子の影法師は、ぎらっと白いひかりに変わり、狼どもは耳をたてて一さんに戻ってきました。
「アンドロメダ、
　　あぜみの花がもう咲くぞ、
　　おまえのランプのアルコオル、
　　しゅうしゅと噴かせ。」

雪童子は、風のように象の形の丘にのぼりました。雪には風で貝殻のようなかたがつき、その頂には、一本の大きな栗の木が、美しい黄金いろのやどりぎのまりをつけて立っていました。
「とっといで。」雪童子が丘をのぼりながら云いますと、一疋の雪狼は、主人の小さな歯のちらっと光るのを見るや、ごむまりのようにいきなり木にはねあがって、その赤い実のついた小さな枝を、がちがち噛じりました。木の上でしきりに頸をまげている雪狼の影法師は、大きく長く丘の雪に落ち、枝はとうとう青い皮と、黄いろの心とをちぎられて、いまのぼってきたばかりの雪童子の足もとに落ちました。

「ありがとう。」雪童子はそれをひろいながら、白と藍いろの野はらにたっている、美しい町をはるかにながめました。川がきらきら光って、停車場からは白い煙もあがっていました。雪童子は眼を丘のふもとに落としました。その山裾の細い雪みちを、さっきの赤毛布を着た子供が、一しんに山のうちの方へ急いでいるのでした。

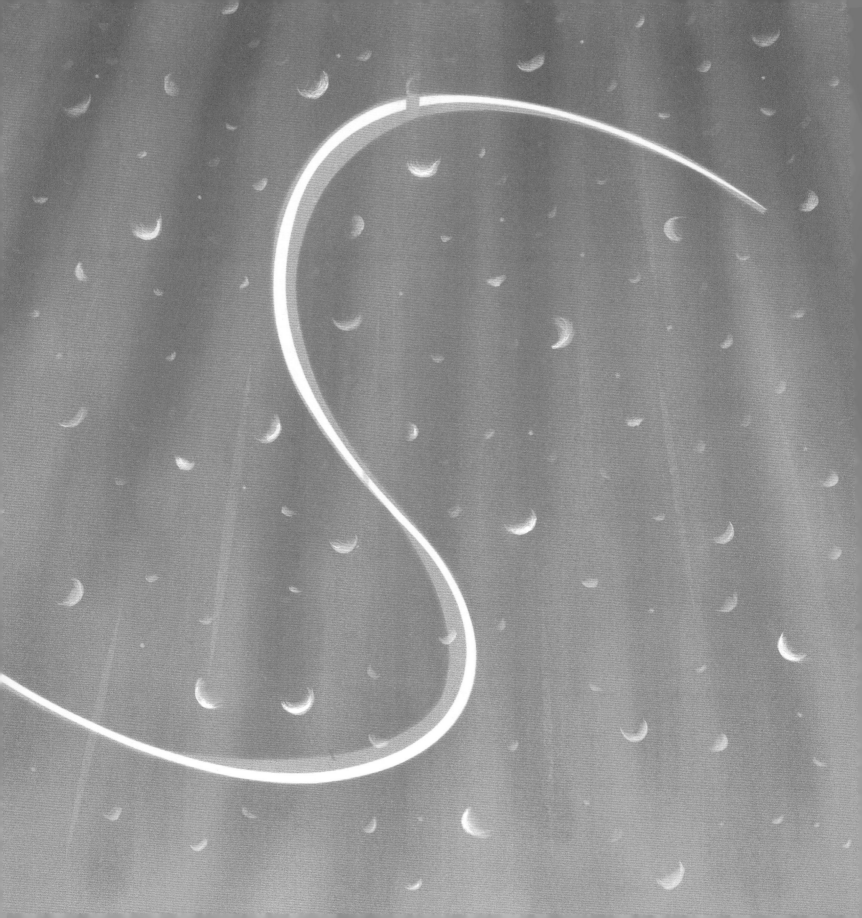

「あいつは昨日、木炭のそりを押して行った。砂糖を買って、じぶんだけ帰ってきたな。」雪童子はわらいながら、手にもっていたやどりぎの枝を、ぷいっとこどもになげつけました。枝はまるで弾丸のようにまっすぐに飛んで行って、たしかに子供の目の前に落ちました。

　子供はびっくりして枝をひろって、きょろきょろあちこちを見まわしています。雪童子はわらって革むちを一つひゅうと鳴らしました。

　すると、雲もなく研きあげられたような群青の空から、まっ白な雪が、さぎの毛のように、いちめんに落ちてきました。それは下の平原の雪や、ビール色の日光、茶いろのひのきでできあがった、しずかな奇麗な日曜日を、一そう美しくしたのです。

子どもは、やどりぎの枝をもって、一生けん命にあるきだしました。
　けれども、その立派な雪が落ち切ってしまったころから、お日さまはなんだか空の遠くの方へお移りになって、そこのお旅屋で、あのまばゆい白い火を、あたらしくお焚きなされているようでした。
　そして西北の方からは、少し風が吹いてきました。
　もうよほど、そらも冷たくなってきたのです。東の遠くの海の方では、空の仕掛けを外したような、ちいさなカタッという音が聞こえ、いつかまっしろな鏡に変わってしまったお日さまの面を、なにかちいさなものがどんどんよこ切って行くようです。
　雪童子は革むちをわきの下にはさみ、堅く腕を組み、唇を結んで、その風の吹いて来る方をじっと見ていました。狼どもも、まっすぐに首をのばして、しきりにそっちを望みました。
　風はだんだん強くなり、足もとの雪は、さらさらさらさらうしろへ流れ、間もなく向こうの山脈の頂に、ぱっと白いけむりのようなものが立ったとおもうと、もう西の方は、すっかり灰いろに暗くなりました。

雪童子の眼は、鋭く燃えるように光りました。そらはすっかり白くなり、風はまるで引き裂くよう、早くも乾いたこまかな雪がやって来ました。そこらはまるで灰いろの雪でいっぱいです。雪だか雲だかもわからないのです。
　丘の稜は、もうあっちもこっちも、みんな一度に、軋るように切るように鳴り出しました。地平線も町も、みんな暗い烟の向こうになってしまい、雪童子の白い影ばかり、ぼんやりまっすぐに立っています。
　その裂くような吼えるような風の音の中から、
「ひゅう、なにをぐずぐずしているの。さあ降らすんだよ。降らすんだよ。ひゅうひゅうひゅう、ひゅひゅう、降らすんだよ、飛ばすんだよ、なにをぐずぐずしているの。こんなに急がしいのにさ。ひゅう、ひゅう、向こうからさえわざと三人連れてきたじゃないか。さあ、降らすんだよ。ひゅう。」あやしい声がきこえてきました。
　雪童子はまるで電気にかかったように飛びたちました。雪婆んごがやってきたのです。

　ぱちっ、雪童子の革むちが鳴りました。狼どもは一ぺんにはねあがりました。雪わらすは顔いろも青ざめ、唇も結ばれ、帽子も飛んでしまいました。
　「ひゅう、ひゅう、さあしっかりやるんだよ。なまけちゃいけないよ。ひゅう、ひゅう。さあしっかりやってお呉れ。今日はここらは水仙月の四日だよ。さあしっかりさ。ひゅう。」
　雪婆んごの、ぼやぼやつめたい白髪は、雪と風とのなかで渦になりました。どんどんかける黒雲の間から、その尖った耳と、ぎらぎら光る黄金の眼も見えます。

　西の方の野原から連れて来られた三人の雪童子も、みんな顔いろに血の気もなく、きちっと唇を噛んで、お互い挨拶さえも交わさずに、もうつづけざませわしく革むちを鳴らし行ったり来たりしました。もうどこが丘だか雪けむりだか空だかさえもわからなかったのです。聞こえるものは雪婆んごのあちこち行ったり来たりして叫ぶ声、お互いの革鞭の音、それからいまは雪の中をかけあるく九疋の雪狼どもの息の音ばかり、

そのなかから雪童子はふと、風にけされて泣いている
さっきの子供の声をききました。

雪童子の瞳はちょっとおかしく燃えました。しばらくたちどまって考えていましたがいきなり烈しく鞭をふってそっちへ走ったのです。
　けれどもそれは方角がちがっていたらしく雪童子はずうっと南の方の黒い松山にぶっつかりました。雪童子は革むちをわきにはさんで耳をすましました。
「ひゅう、ひゅう、なまけちゃ承知しないよ。降らすんだよ、降らすんだよ。さあ、ひゅう。今日は水仙月の四日だよ。ひゅう、ひゅう、ひゅう、ひゅうひゅう。」
　そんなはげしい風や雪の声の間からすきとおるような泣声がちらっとまた聞こえてきました。雪童子はまっすぐにそっちへかけて行きました。雪婆んごのふりみだした髪が、その顔に気みわるくさわりました。峠の雪の中に、赤い毛布をかぶったさっきの子が、風にかこまれて、もう足を雪から抜けなくなってよろよろ倒れ、雪に手をついて、起きあがろうとして泣いていたのです。

「毛布をかぶって、うつ向けになっておいで。毛布をかぶって、うつむけになっておいで。ひゅう。」雪童子は走りながら叫びました。けれどもそれは子どもにはただ風の声ときこえ、そのかたちは眼に見えなかったのです。

「うつむけに倒れておいで。ひゅう。動いちゃいけない。じきやむからけっとをかぶって倒れておいで。」雪わらすはかけ戻りながら又叫びました。子どもはやっぱり起きあがろうとしてもがいていました。

「倒れておいで、ひゅう、だまってうつむけに倒れておいで、今日はそんなに寒くないんだから凍えやしない。」

雪童子は、もーど走り抜けながら叫びました。子どもは口をびくびくまげて泣きながらまた起きあがろうとしました。

「倒れているんだよ。だめだねえ。」雪童子は向こうからわざとひどくつきあたって子どもを倒しました。

「ひゅう、もっとしっかりやっておくれ、なまけちゃいけない。さあ、ひゅう」

雪婆んごがやってきました。その裂けたように紫な口も尖った歯もぼんやり見えました。

「おや、おかしな子がいるね、そうそう、こっちへとっておしまい。水仙月の四日だもの、一人や二人とったっていいんだよ。」

「ええ、そうです。さあ、死んでしまえ。」雪童子はわざとひどくぶっつかりながらまたそっと云いました。

「倒れているんだよ。動いちゃいけない。動いちゃいけないったら。」
　狼どもが気ちがいのようにかけめぐり、黒い足は雪雲の間からちらちらしました。
　「そうそう、それでいいよ。さあ、降らしておくれ。なまけちゃ承知しないよ。ひゅうひゅうひゅう、ひゅひゅう。」雪婆んごは、また向こうへ飛んで行きました。
　子供はまた起きあがろうとしました。雪童子は笑いながら、も一度ひどくつきあたりました。もうそのころは、ぼんやり暗くなって、まだ三時にもならないのに、日が暮れるように思われたのです。こどもは力もつきて、もう起きあがろうとしませんでした。雪童子は笑いながら、手をのばして、その赤い毛布を上からすっかりかけてやりました。
　「そうして睡っておいで。布団をたくさんかけてあげるから。そうすれば凍えないんだよ。あしたの朝までカリメラの夢を見ておいで。」
　雪わらすは同じとこを何べんもかけて、雪をたくさんこどもの上にかぶせました。まもなく赤い毛布も見えなくなり、あたりとの高さも同じになってしまいました。
　「あのこどもは、ぼくのやったやどりぎをもっていた。」雪童子はつぶやいて、ちょっと泣くようにしました。

「さあ、しっかり、今日は夜の二時までやすみなしだよ。ここらは水仙月の四日なんだから、やすんじゃいけない。さあ、降らしておくれ。ひゅう、ひゅうひゅう、ひゅひゅう。」
　雪婆んごはまた遠くの風の中で叫びました。
　そして、風と雪と、ぼさぼさの灰のような雲のなかで、ほんとうに日は暮れ雪は夜じゅう降って降って降ったのです。やっと夜明けに近いころ、雪婆んごはも一度、南から北へまっすぐに馳せながら云いました。

「さあ、もうそろそろやすんでいいよ。あたしはこれからまた海の方へ行くからね、だれもついて来ないでいいよ。ゆっくりやすんでこの次の仕度をして置いておくれ。ああまあいいあんばいだった。水仙月の四日がうまく済んで。」
　その眼は闇のなかでおかしく青く光り、ばさばさの髪を渦巻かせ口をびくびくしながら、東の方へかけて行きました。

野はらも丘もほっとしたようになって、雪は青じろく
ひかりました。空もいつかすっかり霽れて、桔梗いろの
天球には、いちめんの星座がまたたきました。

雪童子らは、めいめい自分の狼をつれて、はじめてお互い挨拶しました。

「ずいぶんひどかったね。」

「ああ、」

「こんどはいつ会うだろう。」

「いつだろうねえ、しかし今年中に、もう二へんぐらいのもんだろう。」

「早くいっしょに北へ帰りたいね。」

「ああ。」

「さっきこどもがひとり死んだな。」

「大丈夫だよ。眠ってるんだ。あしたあすこへぼくしるしをつけておくから。」

「ああ、もう帰ろう。夜明けまでに向こうへ行かなくちゃ。」

「まあいいだろう。ぼくね、どうしてもわからない。あいつはカシオペーアの三つ星だろう。みんな青い火なんだろう。それなのに、どうして火がよく燃えれば、雪をよこすんだろう。」

「それはね、電気菓子とおなじだよ。そら、ぐるぐるぐるまわっているだろう。ザラメがみんな、ふわふわのお菓子になるねえ、だから火がよく燃えればいいんだよ。」

「ああ。」

「じゃ、さよなら。」

「さよなら。」

　三人の雪童子は、九足の雪狼をつれて、西の方へ帰って行きました。

まもなく東のそらが黄ばらのように光り、琥珀いろにかがやき、黄金に燃えだしました。丘も野原もあたらしい雪でいっぱいです。
　雪狼どもはつかれてぐったり座っています。雪童子も雪に座ってわらいました。その頬は林檎のよう、その息は百合のようにかおりました。

ギラギラのお日さまがお登りになりました。今朝は青味がかって一そう立派です。日光は桃いろにいっぱいに流れました。雪狼は起きあがって大きく口をあき、その口からは青い焔がゆらゆらと燃えました。

「さあ、おまえたちはぼくについておいで。夜があけたから、あの子どもを起こさなきゃあいけない。」

　雪童子は走って、あの昨日の子供の埋まっているとこへ行きました。

「さあ、ここらの雪をちらしておくれ。」

　雪狼どもは、たちまち後足で、そこらの雪をけたてました。風がそれをけむりのように飛ばしました。

　かんじきをはき毛皮を着た人が、村の方から急いでやってきました。

「もういいよ」。雪童子は子供の赤い毛布のはじが、ちらっと雪から出たのをみて叫びました。

「お父さんが来たよ。もう眼をおさまし。」雪わらすはうしろの丘にかけあがって一本の雪けむりをたてながら叫びました。子どもはちらっとうごいたようでした。そして毛皮の人は一生けん命走ってきました。

水仙月の四日

発行日 ＊ 初版第 1 刷 1999年 11月 30日
　　　　　第 6 刷 2021年　3 月　6 日
作 ＊ 宮沢賢治
絵 ＊ 黒井健
発行者 ＊ 木村皓一
発行所 ＊ 三起商行株式会社
　〒581-8505　大阪府八尾市若林町1-76-2　電話0120-645-605
企画 ＊ 株式会社ミキハウス
編集 ＊ 松田素子　（編集協力：永山綾）
デザイン ＊ 岡本明
印刷・製本 ＊ 凸版印刷株式会社
プリンティング・ディレクター ＊ 芝田成弘
進行 ＊ 桑原律心

落丁本・乱丁本はお取り替えいたします。
本書の一部あるいは全部を無断でコピー・スキャン・デジタル化することは、著作権法上の例外を除き、禁じられています。
40p 26×25cm　©1999 Ken Kuroi　Printed in Japan
ISBN978-4-89588-112-8 C8793

本文について
本書は『新校本 宮沢賢治全集』(筑摩書房)を底本としております。
なお原文の旧字・旧仮名、および送り仮名に関しては、現代の表記を用いています。
文中の句読点、漢字・仮名の統一および不統一、ルビなどは原則として原文に従いました。ただし 11 頁の「貝殻」は、原文では「介殻」と表記されており、28 頁の「三時にもならないのに」は、原文では「三時にもならないに」と表記されています。
8 頁の「カシオピア…」の雪童子の叫びに続く「雪童子は…」の文は原文では改行になっていませんが、当編集部で判断し、いずれも現行のように変えたことをお断りいたします。

言葉の説明

4頁	[カリメラ]	カルメラ。赤ザラメに少量の水を加えて煮詰め、重曹でふくらませて固めた軽石状の菓子。
4頁	[雪花石膏]	アラバスターと呼ばれる鉱物。石膏の一種。良質の物は真珠光沢をもち大変美しく高価。
8頁	[あぜみ]	アセビやアシビ(馬酔木)などの名で呼ばれる植物。春に小さな釣鐘形の白い花をつける。
11頁	[やどりぎ]	他の樹木の枝などに寄生する。ヨーロッパでは古くから魔よけの木とされ、殊にケルト民族にとっては生命や再生を象徴する植物として重要な位置をしめる。
34頁	[電気菓子]	綿飴、綿菓子。濃い糖液を温めながら遠心力を利用して糸状に結晶させ、割り箸などに巻きつけて作る。遠心分離器を電気で回転させることから電気菓子と呼んだ。

絵・黒井　健（くろい・けん）
1947年新潟県生まれ。新潟大学教育学部美術科卒。
出版社で絵本の編集に携わった後に退社、フリーのイラストレーターとなる。
以降、絵本・童話のイラストレーションの仕事を中心に活動。
主な絵本作品に、『ごんぎつね』『手ぶくろを買いに』（以上、新美南吉／作　偕成社）、
『おかあさんの目』（あまんきみこ／作　あかね書房）、
『うまれてきてくれてありがとう』（にしもとよう／文　童心社）、
「ころわん」シリーズ（間所ひさこ／作　ひさかたチャイルド）、
画集に、宮沢賢治の詩をもとにした『雲の信号』（偕成社）、
アメリカでのカヌーの旅を描いた『ミシシッピ』（ティモシー・ラニング／文　偕成社）のほか、
『Hotel』『LONG NIGHT』（瑞雲舎）などがある。
絵を担当した絵本や童話は300冊を超える。
2003年に、山梨県清里に、自作絵本原画を常設する「黒井健 絵本ハウス」を設立。